FAOILEÁN NA BEATHA

LEABHAIR EILE LEIS AN ÚDAR CÉANNA

An Grá in Amhráin na nDaoine

Caoineadh Airt Uí Laoghaire

Nuabhéarsaíocht

FAOILEÁN NA BEATHA

SEÁN Ó TUAMA

AN CLÓCHOMHAR TTA
BAILE ÁTHA CLIATH

An Chéad Chló

Clólann Uí Mhathúna, Baile Átha Cliath

Do Bheití

AN CLÁR

1.—*Lirici*

LIRICÍ

ÓGÁNACH A BÁDH

MAIDIN ghaofar i mí Lúnasa,
Ghaibh sé amach an tráigh
Is níor chas thar n-ais arís
Go raibh an rabharta lán :
Is an tráigh a ghaibh sé amach
Ní uirthi gheal a chnámha.
Is óg a tugadh cailís le diúgadh dom dhearthdir.

Idir tráigh agus tráigh eile
D'fhoghlaim sé ón mbás
Sceanfairt dhubh na mara
Is gile briosc-chnámh :
Is do thriomaigh suas ar charraig
Chun an íospairt do thaispeáint.
Bhí deora goirt sa chailís a tugadh dom dhearthdir.

Idir rabharta is rabharta eile
Do mhúin sé féin don mbás
Nár mhiste a chabhail ag caobaigh
Is a shúile ag portáin :
Mar gur teampall óir gan bhearnadh
D'éireodh ón duibheagán.
Bhí fíon is mil sa chailís a tugadh dom dhearthdir.

Idir tráigh agus tráigh eile,
Idir rabharta is rabharta lán,
D'fhulaing claochló na sáile
Gur labhair an teampall slán :
Is ansan do chas abhaile
Chomh neafaiseach is d'fhág.
Ach do dhiúgais síos go grinneal do chailís a dhearthdir.

DEINEADH ÓG MÉ ARÉIR

(Ar chlos Chlog Phádraig dom ar an Raidió)

DO chuala go cinniúnach é,
Do chlog á bhualadh aréir,
Glór gan scoilt, gan creathán aoise,
Ar thonntracha an aeir.

A smacht dob eol dod dheisceabail
Fén sioc agus fén ngréin—
Macartan, Duach, Macnissi, ámh,
Ní gá dhóibh smacht fén gcré.

Dob umhal dá cheannas easpaig, leis,
Fiacc agus Beinén ;
Is fada suan 'na gcluasa san,
Is tá an clog dá n-éis.

Ach mairimse. Is chuala an chling
D'airíodar san fadó,
'S dá mhine mé is dá bhréagaí
Do ling seal beag im bheo

Grásta glé tiarnúil leictreonach
Bhain díom cúig céad déag
De bhlianta bladhmainn an Chríostaí,
'S a dhein mé óg aréir.

BRÓGA DANNY
(Dún Chaoin, 1952)

THUGAMARNA fearaibh
Oíche mhachnaimh
Ar bhróga Danny,
Ach ba léir i gcionn aga
Ná raibh sa tsult
Ach tréas ar mhagadh—
Cúrsa roimh éadóchas ;
'S ón uair nár nochtaigh
Aon fhear de cheathrar
An truamhéil 'na aigne,
Níorbh ionadh mar sin
Leathar an chomhrá
A éirí tanaí
Ón gceilt ar scáth na trócaire.

Mar ba ghéar an scáthán
Ar an leath-éan Danny,
'S ar gach coimhleacaí dho,
Na bróga brocach'
Ina suí go socair
Ina maighdeanas rocach,
Dall ar fad
Ar aon chineáltas ban.

(Mar tá an cineáltas
Imithe thar lear.
Tá an cineáltas
Lonnaithe i Springfield Mass.)

'S ós é dán Danny
Is dán a chine
Deireadh a n-aistir
A thabhairt go dealbh

Ag gliúmáil oíche
Ar bhróga briste
Is gan de chríoch air
Ach píp tobac—
  Is é sin fé ndeara
Leathar ár gcomhrá
  A éirí tanaí,
'S gur deineadh den mbothántaíocht
Seoigh cois teallaigh
Bullán-chaint gan rath,
Is cúrsa roimh éadóchas.

NAOMH PROINSIAS I gCONAMARA

Sa tséipéal ádhmaid fógrann gliogar cloig
Éirí Chríost bháin as tuama an aifrinn.

Is an fear gan bearradh i dtóin an phobail,
'Bhfuil a chloigeann leathmhaol is a bhréidín stollta,
Is samhailt strainséartha a aghaidh bhuí rocach
Nuair adhrann Mac Dé lena shúile donna.

Tá dealús an tsaoil i ngach lúib dá cholainn,
Is deorantacht naoimh ins na súile donna.

DO DHEALBH NAOMH GOBNAIT
(i nGaeltacht Bhaile Mhuirne)

Nuair d'éirigh Naomh Gobnait suas stiúraigh a haingeal coimhdeachta í, agus dúirt léi imeacht roimpi go mbuailfeadh naoi gcinn d'fhianna bána léi agus a beannú a dhéanamh ansin.

DÁ mbeifeá ar do chois arís, a Ghobnait,
An siar a raghfá ?
Domhnach na Cincíse chuamarna siar
Sa chill 'nar adhrais
Is d'aimsíomar cloch-shuite tú ar chúl
Na gcarraig aitinn,
Geanc-bhean mhuirniúil deilbhe id ghrianadh
Féin le taitneamh,
Gan chol le gramaisc phóite, le hoilithrigh
Na rincí fada,
Le lucht pinginí a chnósach, trí mhion-chalaois,
Ar scáth an mhairbh ;
Ná fós le gach leathdhuine (comharsain, fiú
amháin, do chille)
A shamhlaíonn cleas fir méaracáin le heilit—
Chroí na Spride:
A dhiúltaíonn don lasair thine a chuirfeadh anam
Ina mbéalaibh
'S ar Dhomhnach na Cincíse ná canfadh glór
Ach gósta garbh-Bhéarla.

Dá mbeifeá ar do chois arís a Ghobnait,
Ar siar a raghfá ?
Domhnach na Cincíse chuamarna siar
Sa bhall caillte,

'S ní bhfuaramar romhainn ach mar fhágamar san bhaile
  In ár ndiaidh :
Lucht tógtha is lucht adhartha dealbh folamh
  Nach é a mian
Aon Ghobnait theacht inniu le hainmhí
  Ar ceann a téide
Nach eol dóibh, 's nach eol dóibh fós go cruinn
  A phraghas san aonach.

Dia linn is Muire, a Ghobnait na cille, is ó
  Nach deacair bheith foighneach
Le críostaithe nua seo na cloch-réasúnaíochta nach eol
  Dóibh riamh aon taibhreamh,
Íochtar an chine a shantaíodh gan scrupall físeanna
  Na ndéithe—
'S gur seoladh tusa chucu, geanc-bhean mhuirniúil
  Ós na spéartha,
'S naoi gcinn d'fhianna bána id thionlacan
  Le gean dod naofacht.

BRÓGA AN LINBH

DO gháireas gáire soilbhir
Go raibh ribe beag den chumha tríd
Nuair chonac bróigíní suite suas
Go tóstalach ar stól beag,
Stocaí, mar chosa, ag gobadh astu
'S iad réidh, déarfá, chun bóthair.

Bhí na cosa ina gcodladh, ámh,
'S gan freagairt ar mo gháire,
Is d'eitil san ar fud an tí—
Ach leaigh an cumha ann láithreach :
Ba pheaca i dtigh aon doilbhreas
Faoin té tá fós ag lámhacán.

GRABHAS

(Le buíochas do Thurnbull)

TUGADH a chéad-chrústa don leanbh aréir,
Is ó an grabhas !
Dob eolach dá dhrandal san neomat san féin
Tuathal an domhain.

Do dheineas-sa ansan chun smut a chur siar,
Ach ó an freang !
Bhí mo dhrandalsa iompaithe bán-bhog im bhéal
Le cumann don ghrabhas.

NUAIR SHÍNFEAD SIAR

A Chríost ná scaoil orm an bás i gan fhios
Mar scaoilis orm codladh inné,
Ach deonaigh dom an mhíogarnach ghnáthúil
Sara gcartfaidh siad an teampall cré . . . .

Chun ná dúiseoinn, 's gur díthreabh mo dhúchas,
Tír nárbh eol dom bean ná gaol,
Sceach-bhall ceoigh 'nar shearg na finniúna
Mhilseodh an teanga, reamhar le scéan.

Go n-atfadh romham go sleamhain insa chiúineas
An abhainn dhubh le múnlach daol,
Go labharfadh chugham an eala le muc-ghnúsacht
'S an gadhar bacach le tíogar-bhéic.

Gurb iad na héin a cheolfadh dom gan suaimhneas,
Ceirteacha uaigneacha le gaoth
Ag liobar-chaint 's ag seint go stracaithe
Ar shreanga teileafóin an aeir.

Go bhfliuchfaí mé sa cheo, is fós ná silfeadh
Aon bhraon le fuarthan ar mo bhéal,
Go siúlfainn is go siúlfainn i measc daoine
Ag prap-ghluaiseacht mar bhréagáin ar théid . . . .

A Chríost ná scaoil orm mo chodladh i gan fhios
Mar scaoilis orm bás inné,
Ach deonaigh dom cnead-mhíogarnach ghnáthúil
An tseanduine i ndeireadh an lae.

Chun go leagfad fén gcathaoir mo léine chaite,
Oíche shailm-chiúin, tráth Tenebrae,
Is go bhfáiscfead fém chulaith suain mo chrios, le teannas,
'S go sínfead siar mo theampall cré.

PICTIÚIRÍ FÓMHAIR

1951 :

CÉ ná fuil againn aon chrann
Tá duilleoga ar an bhféar,
Breacarnach bhuí-dhonn
Ag clúdach seaca ó aréir.
Moladh mór le Dia—
Bronntanas na gcomharsan iad !

1958 :

Ag duardal ar ár gcrainn go hard
Cloisim den chéud uair le fonn
Colúir bhreac-is-bán',
Ach ní linne aon cheann.
A bhuí le Rí na nGrást—
Goidthe ós na comharsain táid !

B

DHÁ DHOMHAN FÓMHAIR

Ó chiainibh do rith buí na gréine tríd an abhainn,
Is buaileadh toirteanna na bport, na dtor, na gcrann
Go dorcha scáthlíneach ceann ar cheann
Fan imill daite an uisce—
Chun gur Tír na nÓg simplí
De scátháin dubha is buí
Bhí fé mo shúile breacaithe.

Ach anois tá an ghrian tar éis luite, is ceo-bhrat bán ag leathadh
Os cionn an domhain a bádh is é ag sileadh datha.
'S táim féin fén ngiúis ag feitheamh leis an eala
A ghreadfaidh a sciatháin dofheicthe—
'S a mhúsclóidh cloig an cheoil
Sa ríocht ghiúis-chumhra cheoigh
Atá ar tí a cruthaithe.

BÁS FÓMHAIR

SA bhFómhar a d'éag sí i dtús séasúir an tseaca.
Is cuimhin liom fós im aigne nárbh fheasach
D'éinne againn,
Ná fiú di féin, an bás a bheith ag fáscadh
Leis go láidir ina cliabh. Mhaisigh
Sí a tigh,
Phioc blátha sa ghairdín, chuir vásaí dú
Criadóra ar chlabhar marmair go grástúil—
Ansan gan coinne
D'imigh sa tsíoraíocht, is í 'na gearrchaile.
Dhein a bás, ar nós an tseaca,
Lot is milleadh ;
Ach 'na dhiaidh, do bheoigh niamh gach datha
Is cumhrachtaí an Fhómhair.

GÉILLEADH AN DEORAÍ

DO luíos aréir go deoranta
  Cois cuain thar lear—
Ach theilgeas uaim m'uaigneas
  Fé thonn ghéar ghlas.

Do theilgeas uaim m'uaigneas
  Go neafaiseach (dar leat),
Mar a theilgeann garsún croíleacán
  An úill 'na ghlaic.

Chodlaíos ansan go conlaithe
  Gan bhuairt, gan chor,
Mar leanbh sa bhroinn, go clúdaithe—
  Is géilleadh im chorp.

ASAILÍN PHARIS

(do dhaoine óga)

DO ghluais sé tríd an margadh,
An t-asailín beag dubh,
'S má ghluais, do ghluais mar asailín
Gur ghradam leis a chros.

Níor bhrúigh sé trísna sluaite cruinn,
Níor shatail ar aon chois,
Ach d'fhan ar nós duine uasailín
Gur deineadh casán do.

Bhí cloigín ar a éadan umhal
Faoi shíoda dearg tláth;
Ba shéipéal sásta an sráidín cúng
Is é ag gabháil thar bráid.

Laistiar dá ghiolla, d'fhair gach súil
An ciseán ar a dhrom,
D'íslíodh gach srón le mórchathú
Nuair d'imigh sé as amharc.

Mar níorbh ainmhí chun ualaigh so,
Ná asal móna groí,
Ag díol snaoisín labhandair
Bhí asailín Pharis.

AG NA SOILSE DEARGA

(i bParis)

AN cailín sa chóta fearthainne
A bhfuil an clogad ar a ceann
Chím í ag na soilse dearga,
Dealbhaithe sa cheofrán trom.

Foighníonn sí le neamhchaise
Ar chúlaibh inneallrothair nua,
An aghaidh Rómhánach ghreanta aici
Go geal 'na tost san oíche chrón.

Ansan gan aon tsamhailt dithnis
Claonann sí a ceann chun cinn,
'S an té atá ar bhéalaibh tuigeann sé
Is claonann seisean chuici siar.

Is an phóg amháin, le cineáltas,
A chuir go héadrom ar a bheol,
Ní raibh mian an choirp ná toirt inti
'S níor bhearnaigh snáth dá cochall ceoigh.

An solas glas ! D'aon léim amháin
Stracann sruth tormáin mo mheabhair,
'S, gan bhrí, sa tranglam gluaisteán,
Tá sí slogaithe as m'amharc . . . .

Ba mhéadú croí bheith roimpi arís
Ag an gcéad chrois eile go maolóidh
Gleithearán an tráchta diaidh ar ndiaidh . . .
'S ansan, mar shacraimint, an phóg.

BEANNACHT ABHAILE

TOISC gur tú a nochtaigh sceinne-chroí an tsaoil dom,
Scaip ceannabhán sa ghaoith an t-am ba lú mo shúil,
Chun ná ligfí i ndearmhad comaoin príntísigh—
Cuirim an bheannacht so ar bharraicíní chughat.

Toisc gur tú, de shíor, a fhulaingíonn ár n-áthas,
'S go bhfulaingíonn tú anois arís é go grástúil,
Tá sreanga m'anama ar crith dhuit le cineáltas—
Is cuirim an bheannacht so ar shreang cineáltais chughat.

Is toisc go gcloisfimídne arís i mbéal trá báine
Uisce ag sileadh i ngoile carraigreacha dúr
(Istigh fén leac ghéar dhubh éist! féach! leanaí ag gáirí)—
Ó cuirim an bheannacht so ar ghaethe gréine chughat.

COSA TIORMA

(Jean ón gCorsaic, agus mé féin, lá stoirme ar chósta na Fraince).

TIOCFAID chugham ar ball ar thuairisc a gcompánaigh,
Is fiafróid díom le hiontas: 'Bhfuil Jean imithe uait'?
Ní déarfadsa ach: 'Bhuail fonn é siúl amach fén mbáistigh'.

Déanfaid magadh beag ansan i dtaobh mo dhuine
A raghadh ag siúl leis féin i ngála gorm gaoithe,
Ach fágfad fúthu an scéal, 's ní raghfar thairis sin air.

Ach bhíos-sa féin is Jean ar iomrascáil ag faire:
Dhá bharc bheaga, seilmidí i gcorp na scríbe,
Á gcaitheamh go míchéatach ar thonnta na Meán-Mhara.

Bhí an choimhlint géar, ach gairid. 'S le linn na hiascairí bheith
Caolú leo go slán isteach fé shuaimhneas cúng an chalaidh
D'airíos ón imigéin im aice port feadaíle.

Is bíodh nár luíos riamh súil ar oileán rúin mo charad
Do shnámh chugham aer is spéir gheimhriúil a bhaile dhúchais
Tríd an gceol aige, is faoiseamh ban is leanbh.

'S do líonadar mná deoranta is garsúin donna
Isteach ar thráigh, nárbh eolach dom, im aigne
Ag mórú gníomh na bhfear ar theacht dóibh slán abhaile.

Ansan a thugas-sa fé ndeara Jean imithe,
An t-oileánach brostaithe fé dhéin an chladaigh.
Is bhíos-sa an leanbh tíre, te teolaí cois tine—
Is mo chosa náirithe im dhó, im dhó, le tiormacht.

AN DÁLACH IS A MHÁTHAIR

(Saothrú an Bháis)

NÍOR thóg éinne aon cheann den chúpla cloigeann bearnach
A nochtaigh Ó Dálaigh ar bhruach na huagha
Nuair ab éigean do sluasaid a bheartú go tuathal-lámhach
Chun corp a mháthar a chlúdach fán bhfód.

Más le hurraim dá mhéala a cheil na gairid-ghaolta
An chloigeann-alltacht a ghaibh iad féin,
Ón uair gur ghiolla dorais é le seal ar bhás-mhistéirí
Níor ghá dhóibh dáiríribh aon chuid den chúirtéis.

Mar bhí blianta beaga caite aige ag faire ar a mháthair
Ó bhraith sí méar na tubaiste ag tolladh ina cliabh,
Í d'oíche is de ló ag déanamh cuideachtan lena páis-phian
Is ag guí go súil-oscailte ar a corp roimh ré.

Níor fhéach tríd an bhfuinneoig ar bhláth na sceiche gile,
Níor leomhaigh buí-chumhracht an fhéithlinn ina gaor—
Ach do theannaigh an croiceann idir leiceann is uisinn
Is í ag taobhú an chúinne a thoigh sí di féin.

Do thaobhaigh sí an cúinne , is an cúinne dá machnamh
A bhí scagaithe tirim aici ó ghliogairnéis,
Is níor fhulaing sí a mhúscailt ann ach smaointe athchoganta
Ná goillfeadh uirthi a meilt idir bróinte an dá shaol.

Is sara ráinig don Dálach na cloiginn is a mháthair
A dhíonadh go cneasta fé scraitheanna fóid
Dob eol do mar a dhíonfadh le cneastacht a pháis féin
Nuair a chuimhneodh a chloigeann ar cheiliúradh ón bhfeoil.

AN DÁLACH IS NA GÉANNA

(Saothrú an Díomhaointis)

'*Níor thuigeas an tráth úd ach an chíoch*' (*Naomh Agaistín*)

ÓS gá ná ceilfí ar éinne an lá
Is ar maidin Domhnaigh i ndeireadh Aibreáin
A stop Ó Dálaigh de dheol na cíche :
Do scréach na géanna thiar sa pháirc
'S léim gach cnámh 'na chorp le háthas—
Níor thuig i gceart aon cheol go dtí sin.

Má chuala siansa glórach roimhe seo
Nár Johann Bach, Mozart, nó Mussorgsky,
Ba mhaith ab eol dá aigne a bháthadh
Le fuadar léannta leabhar ná feadair,
Le fochoistí, suirí, is bladar,
Is rang dhá oíche i Scoil na gCeard.

Ach anois in eireaball an Earraigh
Dhúisigh sé 's an chíoch ar mearbhall,
Ag scréach-róstadh ar imeall a dhá bheol :
Do thóg tráthnóna geábh nár chleachtach leis,
Is d'fhéach go fada thar maol na gclathacha—
Faoiseamh nár ghnách leis aon tSabóid.

'S do chothaigh feasta ceol 'na mheanmain
Ó gach gogal-ghlór dár airigh riamh
(D'éirigh glan as máistrí an iomrá) ;
Dhein fásach bán de gach lá seachtaine
Sa tslí gur mhóide a chumas braistinte
Aon Domhnach go seinnfeadh an t-áthas 'na chnámha.

DEASCABHÁIL COIS ABHANN

Ní iarrfar ortsa deascabháil,
Ní gá an meidhreán id cheann ;
Caith uait a bheith ag ardradharc uait,
Éist le fuaim na habhann.

Éisteacht, sin é tús gach grá ;
Ceansaigh do shúile anois,
Is cloisfir thíos fén mbruach ag cimilt
Mion-éan suaimhneasach.

Nó fós tabhair cluas id mheanmain
Do mharcaíocht an fhaoilinn bháin,
'S iomprófar uait do mhearbhall
Ar dhrom an fhaoilinn bháin.

'S má leanair ort go ciúin cois abhann
Chífir chughat i dtráth,
Go mall, fé thost, an proisisiún
D'ealaí ag gabháil thar bráid.

Is tiocfaidh eala dhíobh gan cuireadh
Is seasfaidh ar an bport,
Is sínfidh sí a píb le cúram
Aingil, mar chomaoin ort.

Is séidfidh gile tríd an aer,
Is eadromóidh an domhan,
Is tuigfidh tusa deascabháil
Id sheasamh duit cois abhann.

DHÁ ÓRÁID (Moloney)

I

An Príosúnach

IS fearr a thuigim m'aigne féin ná mar a thuigeann
Tusa í, ná éinne eile. Mar tá laethe
Fada tabhartha agamsa léi, is oícheanta,
Á bagairt, ag tláithínteacht léi fé allas, is
Á faire le croí-iontas, nuair d'éirigh sí as plaosc
Mo choirp in airde os mo chionn : 's gur bhraith sí an
Duilleog ag titim sarar scar an crann léi . . . 's gur
bhraith sí
Ar an bhfalla an scáil ag gealadh sararbh ann di ;
Is gur thuig sí tusa, is gur thuig sí mise,
Is an striapach san istigh, gach cor dár meanmain,
Gach machnamh againn sarar deineadh é,
'S geall leis do machnamh Dé. 'S le meáchaint fhiain
dofhulangtha
An eolais, go léimfeadh sí 'na deamhan ar buile
Trí fhuinneog mo chéille glan amach marach—

II

An Coimeádaí

CAINT, caint, caint. Nílirse ach ad chaochadh
Féin anois le ráigí móra baotha cainte,
Díreach mar do chaochais do choinsias 's do nádúir

Dhaonna ar fad i rith na mblian le ráigí móra
Baotha meisce. Ach neosfad duit go cruinn anois
An rud is eol duit féinig cheana : gur dhúisís-se
Lá amháin, i mbolg geal an lae, 's gur phléasc
An saol ar fad, ó bhonn go firmimint, in adamh
Bog leath-lofa amháin ded inchinn. Mar,
Go hobann, tharla rud nár tharla riamh led chuimhne
Roimhe sin : gan chúis ar bith ní umhlódh do chorp
Do nithe, dá shímplí iad, thoiligh d'aigne ;
Ní ardódh do lámh an muga ar an mbord, ní fhulaingeodh
Do bhéal na focail mhuinteartha dob áil leat
Labhairt led chomharsain, ní ghluaiseodh do chos an bóthar
Trasna. Níor leat féin tú féin a thuilleadh ; is
Do leath brat allais ar do chabhail 's do mhúch an t-eagla
Do chroí. 'S tá an t-eagla san, is eagla
Na heagla san, id mhúchadh riamh ó shin.

AMHRÁN NA GEILTE MNÁ

(Do dhaoine óga)

DO ghabhadh sí an chathair
Ó mhaidin go hoích',
Lánaí is póirsí
Nárbh eol d'aon ach í,
Ag cnuasach le chéile
Fé bhinn a seáil
Ceirteanna is giobail
Den uile chineál.

Sa dubh-gheimhreadh féin
Is bior-ghaotha as gach aird
Ag treaghdadh a coirp
Is ag cuardach a cnámh,
D'aithnímís chughainn í
Ag tarraingt na slí,
A slipéidí briste
Ag lapaíl sa draoib.

'Ní gheodsa le haon fhear
Ach fear na súl ngorm,
An fear go bhfuil folt
Fionn cas ar a mhullach'.
Mheasamar uile
Gur churfá amhráin
Na línte seo chanadh sí
Faoina hanáil.

Is is ioma liú magaidh
Is focal fonóide
Do scaoileamar léi
Le daille na hóige.
Dá mbeimís níos aosta
Do dhéanfaimís ionadh
Den chumasc de sceon
Is de cheansacht 'na súile.

'Seo é go dearfa,'
Ar sinne, tráth amháin,
'An fear atá uaitse
Le fada an lá',
Is stracamar roimpi
Le mór-ghleithearán
Paidí Bán Seoigheach,
An leath-amadán.

'Tá a shúile chomh gorm
Le gorm na spéire
Is mothall fionn gruaige
Mar mhaise ar a éadan.
Druid leat anall
Go bhfeicir níos cruinne,
Ní bheirse anois taobh
Le déircínteacht a thuilleadh !'

Dhein crann di le scanradh,
Is ar iompó na boise
D'iompaigh a dreach

Chomh glas leis na clocha,
'S d'fhan sí gan chorraí
Go ceann tamaill fhada
Ag stánadh go balbh
Ar cheannaithe Phaidí.

Ansan chriothnaigh a corp,
Is gan coinne dá laghad leis
Bhí splanc ina súile
Is cuilithe gaoithe,
Is dúirt sí le feirg
Ag ardú a glóir :
'Ní hé sin m'fhearsa,
An breall ós mo chomhair.'

'Ní hé sin m'fhear-sa',
Ar sise níos séimhe,
'Tá seisean na blianta
I dtóin na haigéine . . . .'
Do chas ar a sáil
Chomh maorga le banríon—
Ní fheacamar í
A thuilleadh sa cheantar.

REVERIE BUACHALLA

CEO-BHUÍ trom an oíche anocht,
Gach lampa cnoic 'na chaochóg dhoilbh :
Dall an aigne ar gheoin an lae—
Dall an saol, dall gan loinnir . . . .

In Éirinn anallód bhí rí-bhean suas
D'fhág léan is ár ar mhíltibh ina diaidh :
Óir bhí súil 'na ceann bhí glas le gruaim,
Is bhí sí álainn tar ar rugadh riamh.

Is deir seandaoine fós, ag piseogaíocht
(Seanscéal é chomh haosta leis an gceo),
Gurbh oíche liath-bhuí throm ag tórmach fill,
An oíche saolaíodh ise, Déirdre an Bhróin . . . .

Contúrthach trom an oíche anocht—
Óna broinn anspianta chughainn nár thaga
Ach marbh-aislingí an tsaoil
Go mbreacfar lí i mbéal na maidne.

BAOITHÍN

(1956)

Le buíochas do Thomas Kinsella

BAOITHÍN D'FHILL AR ÉIRINN

PRÓLÓG : Gairmeann Baoithín chuige iath Éireann

I Seirgluí na spride

II Amhrán na nDealbh

III Diúltaíonn Baoithín dá mhuintir

IV Cuimhníonn sé ar dhúthaigh a shinsear

V Púca na Claise Móire

VI Gleann a Ghaolta

VII An File agus an tIascaire

(i) Cosantóirí an fhaoileáin bháin

(ii) Amhrán an Iascaire

(iii) Amhrán an Fhile

(iv) Coirp nár cuireadh ins an uaigh

EIPEALÓG : Filleann Baoithín ar Oileán Í

PRÓLÓG

Gairmim chugham iath Éireann.

Chím uaim falla cloiche is a aghaidh ó dheas,
táithfhéithleann dlúth is sceacha air im chumhdach fé theas—
tráth shoilseoidh grian an Earraigh seo dom mhuintir.

Is cloisim uaim ag titim uiscí fuara im thimpeall,
ag sní trí fhallaí cloiche is ag sileadh tríd an intinn—
tráth dhúiseoidh grian an Earraigh seo mo mhuintir.

Is geitfeadsa le háthas — mar a gheiteann falla cloiche
nuair a ritheann scáil faoileáin ar a dhromchla geal go
hobann —
tráth roinnfead grian an Earraigh seo lem mhuintir.

Gairmim chugham, ó gairmim chugham, iath Éireann.

I

ACH nuair fhilleas-sa abhaile ó Oileán Í 'sé dúirt siad
liom : 'Ní mór díleagra a thabhairt duit (ar a laghad)
mar chomhartha measa. Caithfear féachaint chuige. 'S do
mháistir
Colmcille — tuilleann seisean dealbh'. Arís
adúradar : 'Tá an rothar san agat ag fothramáil.
Cnag san iomparán. Caithfear féachaint chuige'.

Cá tír anois go bhfeicirse, a Choilm,
beirt aingeal réidh fé gach duilleog ag titim?

Titeann na duilleoga fós, aibíonn an síol,
gach ní ón donn go dtí an glas 'na ionú féin;
gach abhlann donn sa chré ag lobhadh i ndóchas glaise
— Ach mo dhaoine muinteartha, mo dhaoine cléibh,
ní dhóchasaíd in am na glaise, lobhaid in ard
na beatha is an sú ag rith 'na mbéal. Ní heol dóibh
a n-ionú.

Doirteadh fuil dóibh is deisíd rothair (nó sconnaí a shileann).
Tugadh saoirse dhóibh, is tógfaid feasta dealbha cloiche.

Mar seo é séasúr seirgthe na spride, an séasúr
buí leath-thaitneamhach a leanann tréimhse broide:
nuair a chaolaíonn Fann i gan fhios ar Chúchulainn ag
an bhficheall, 's go nochtann glóire niamhrach do 'na cíocha
miotail.

Fann, fann, fann an útamáil gan bhinneas
ó bhroid gan tábhacht go broid gan aird, 'dir cíocha miotail.

II

Lá scuabach insan Earrach 's mó chífeá na dealbha cloiche
ag teacht anuas dá mbonnaibh — ach ní tugtar iad fé ndeara:
mar is dealbh é gach éinne insa tír seo.

Brostaíonn siad lena chéile fan na gcéanna is trasna droichead,
an uile cheann ag gluaiseacht leis ar théidín chaol dofheicthe :
gluaiseann cách ar théadaibh insa tír seo.

Is níl fear acu ná braitheann duairceas beag á chiapadh
is é ag dul isteach ar obair fé scamaill chroiceann-liatha :
bíonn duairceas (beag) ar chách, nach mór, sa tír seo.

Is caitheann sé an lá gan sos fé shúil na máistir-dhealbh
a bhíonn suite suas go hardchéimiúil ar bhonn speisialta snoite :
ní thúirlingeann aon mháistir-dhealbh sa tír seo.

Óir 'sé gnó na máistir-dhealbh a lámha bheith ar a mbolg
Is comhairle fhial a roinnt gan stad ar dheilbhíní beaga :
'sí an chomhairle an t-earra is saoire insa tír seo.

Má leomhann aon mhiondealbh, ámh, aon tuairim (bheag) a nochtadh
ná réitíonn lena mháistir thuas, ní cian go mbuailtear cos air :
's is ioma dealbh líofa a briseadh insa tír seo.

Ach oícheanta san Earrach chífir deilbhíní cloiche
ag spraoi dhóibh féin i gcoillte tiú tar éis na tréimhse oibre :
lasaid ar na crainn, i gan fhios, soilse dearga is gorma,
is rincid rincí fiaine go n-iompaíonn an bheatha corcra.
'S is cuid í sin den tseirgluí sa tír seo.

III

Ba leor liom falla cloiche, is ar a bhráid sámh gheal
scáil faoileáin ag scinneadh ar luas, á mhúscailt ón dteas
— a Rí is a Rí, is dhearmhadfainnse mo mhuintir.

Aillíliú, ó aillíliú, iath Éireann.

IV

An bhliain sin, b'shin í bliain an duaircis is na tuirse
anama, bliain na dúluachra nár gheal
aon Samhradh orainn, nuair chaolaigh beacha isteach chun bás
a fháil 's na tithe, 's gur labhair an lon ó thigh na ngealt.
Ach an bhliain dár gcionn arís bhí milseacht teasa ins
an ithir, 's do luigh an aigne go ciúin le deas —
ghnátha cumhra an tsaoil: bhí subh súchraobh á dhéanamh
ins an chistin, 's cnag uaigneach camán ar leaca
cnoic i gcomhrac oíche is lae — 's do bhog an abha
le fonn ó bhruach go chéile, le gluaiseachtaí tarrthála
an aigéin. Chuimhníos ansan arís go raghainn
go dúthaigh m'óige, áit 'na maireadh tráth, fé bhláth
na seansibhialtachta, mo ghaolta féin.

V

Ar an mbóthar ard os cionn na mara, an bóthar fada
stóinsithe ar imeall caillte cnoc, do dhoirchigh

gan coinne romham, fén ngealaigh uaibhreach,
an toirt. 'S do sheas ansan idir an dá chlaí chorcra
'na staic. Do labharfainn ach ní rithfeadh focail
liom, do theithfinn ach níorbh fhéidir é : óir chumhangaigh
sléibhte timpeall orm is chumhangaigh spéir anuas.
Do thuig, áfach, an taibhse dhom ; is ar a ghnúis,
do bhí, adéarfá, fáth beag gáire nuair labhair go neafaiseach
na focail seo : 'Féach romhat, a dhuine, ná feiceann
tú an chlais fét chosa !' 'S de gheit, do nochtaigh den chéad
uair i ngiorracht cúpla céim den bhall 'na raibh
mo sheasamh, an uachais dhuibheagánta ná raibh aon dul
thairsti. 'Mise garda na claise móire seo,'
adúirt sé arís, ''s an té a thriallfaidh thairsti isteach
sa ghleann úd thall, ní mór do an teist seo do chur de
sara dtagaimse 'na chabhair — sea, ardaigh suas
do cheann is léigh é seo !' Chonac ansan gur las
go doiléir ar a léine na focail bheaga so
a léas os ard le dua : 'Caith uait do dhóchas, más maith
leat triall isteach sa Ghleann'. Is nuair a gháireas — gáire
eaglach — nuair rith sé liom gurb aisteach é
an cló tuathánach so a ghaibh an manadh aitheantúil,
do chaolaigh le míchéatacht an dubh-thoirt mhaoth
bhí romham ; is nuair a labhradh liom arís bhí faghairt
sa tsamhailt-ghlór: 'Gáireann tú agus ní gá
dhuit san. Ainneoin go bhfuilir fós ar ballachrith,
is dealraitheach go síltear duit ár dteagmháil
anso, bheith ábhar éaganta, gan bhrí. Ach tuig
an méid seo uaim, is meabhraigh leat go beacht an uile
fhocal de id chroí : ón uair ná mairfidh insa
taobh so tíre feasta ach scáileanna, gur mithid
go sibhialta réiteach leo — is nach ealaí,
go háirithe, d'aon chréatúr beo na raonta so
a thaisteal ach an té atá cumasach ar fhocail
bheaga Gaolainne a léamh ar léinteacha
púcaí.' Dhá chleite-mhéar gan choinne ansan ar chaipíní
mo shúl, 's an chéad ní eile bhíos thar clais anonn.

VI

Nuair d'osclaíos mo shúile i ngleann mo mhuintire chonac uaim
fir chomh hard le crainn ag siúl. Ach ní fhaca
ann aon chrann. An ball a bhíodh chomh binn le méithreas,
chomh glas, 'sé bhí anois ann screalm cloch
fé dhú-chipíní aitinn — 's iad snaidhmithe 'na chéile
ar nós piastaí a dófaí 'na mbeathaidh ; is fan na slí
do dhein ar cumar ina mbíodh an sruthán ómra
leamh-mhagadh mantach fúm. Ach, fós, d'aithníos
tar éis tamaill aimsire roinnt comharthaí sóirt nár athraigh :
cor muinteartha i mbóithrín, crot aisteach
carraige. Is do léas go follas ins na nithe
sin beagán de chló-chrot dílis m'aigne.
Do tuigeadh dom ansan gur geall le bheith id thuiscint
féin a bheith ag filleadh abhaile.

Thánag go dtí áitreabh, ar deireadh thiar,
go raibh táithfhéithleann agus uisce ag rith lasmuigh
de dhoras. Agus mholas Dia a choinnigh buí
an bláth, is úr an t-uisce reatha. Ach an seanduine
(nár aithníos), adúirt nár mhair aon bhean
sa ghleann ; 's í sin gur luas a hainm gur chodail sí
(mar b'eol dom roimhe sin) fén eidhean sa tseanachill,
's go raibh na ceithre dóirse ar leathadh ag na ngaoith
uirthi. Do bhí duine eile fós a fhiosraíos . . .
í sin go raibh a croí chomh glan, chomh hobann-aiteasach,
le heitilt loin as sceich ; is nuair a labhradh,
gur mhó agamsa í ná iníon aon Iarla . . . . Ach
nuair a fhilleas-sa abhaile ó Oileán Í, bhí sí
imithe thar lear go críocha ciana.

VII

(i)

Ar mhair go fóill dem ghaolta, an file is an t-iascaire,
do chanadar d'aonghuth: 'Seo é an talamh
méith, an tír nár mhair na máithreacha 's gur seoladh
uainn na gearrchailí i gcéin, an tír nár fhan aon
fhosaíocht ag na hasail 's go mairimíd ar dhéirc
ón spéir: an tír ná facathas le cuimhne daoine
aon tsúgradh leanbh, ná radharc ar bhád á iompar chun
na mara, ná maidrín ar éill ag port feadaíle
ag filleadh abhaile tar éis lae fiaigh. Seo é an talamh
méith: mar tuigtear dúinn gan bhréig, ó chainteanna
a thagann chughainn ar aer isteach, gurb anso
tá faoileán bán na beatha nach dán dár muintir teacht
i dtír á cheal; 's gur sinne, an file is an t-iascaire,
is a maireann farainn fós de bhráithre
aontumha na mbróga briste, is cosantóirí geanmnaí
ar bheo éanúil na seansibhialtachta.
'S dá bharr, go mbeifear fós ár moladh i bhfad i ndiaidh
ár mbáis. ('S dá bharr, go dtógfar dealbh dúinn go hard
i dtalamh so an fhaoileáin bháin)'.

(ii)

"Féach 'leith chugham" arsan t-iascaire,
Solomon na mbreac,
"nuair dhúisínn oíche dhorcha
i lár na mara amuigh
's an d'rú ag seinm-tharrac ar
mo mhéir, mar seo, go sámh,
'sé deirinn le mo pháirtí istigh:
'siné priocadh an deargáin!' "

Is nuair do sheinn an t-iascaire
an nóta ar a mhéir,
chonacamar á spreagadh aige
ceol fé leith an éisc.
Ach bhí deireadh seinnte ag Solomon
ar théid an deargáin—
mar nuair fhilleas-sa abhaile
ní théadh aon fhear i mbád.

(iii)

'Tá cuireadh agaibh chun pósadh amárach'
— an file adúirt le flosc —
'beidh clagar ceoil ar siúl go maidin,
mar chleachtaí roimis seo.
cuiríg díbh mar sin an alltacht
is bímís cruinn d'aonghuth :
'sé an fómhar céanna é, 's an t-earrach,
anso agus amuigh.

'Sé an fómhar céanna é, 's an t-earrach:
mar tar éis mórán dá dhua
ag cuardach iartaí an pharóiste, tá
dhá chreagar bheaga im chnuas.
Pósfad iad mé féin amárach
fé chreagar-cheangal cruaidh,
's beidh píopaireacht go háirithe
ar mo theallach-sa go buan.

'Sé an fómhar céanna é, 's an t-earrach :
á sea ! ach féach mo dhabht :
ní haon eolaí ar chreagair mé
is ar a ngné táim dall ;
's más fireannaigh mo pheidhre bheag

fágfar sinn gan chlann —
muna mbaineannóidh créatúr acu
le grásta Dé in am !'

(iv)

Ar mhair go fóill dem ghaolta, an file is an t-iascaire,
adúradar d'aon ghuth : 'Is neafaiseach
dar leat, a iomparaímíd crann ár bhfulanga
anso — ag biorú na deisbhéalaí 's ag seanchas !
Ach is fadó tá deireadh déanta le doilíos
sa dúthaigh seo ; óir ní fulang fulang daoine
gan ribe beag den dóchas ann. 'S ní mó ár ndóchasna
go bhfillfeam ar ár ndúchas daonna arís
ná go dtabharfaidh an faoileán amuigh a haghaidh
isteach fén tír. Bhí tráth is ghoill orainn go goirt
iad súd ba ghile linn a bheith ag leaghadh os comhair
ár súl, 's ná feadramar go cruinn cé bhí ag cur
an chogaidh orainn. Táimíd imithe fé dheoigh,
áfach, laistíos, geall leis, de réim gach fulanga :
a bhfuil againn de dheora táid siad silte, a bhfuil
againn de mhianta táid siad múchta. Is go dearbh
duit, nuair shuímíd síos 'nár n-aonar tamall d'oíche
cois an luaithrigh, ní fhanann de mhíshuaimhneas
orainn tar éis ár léin dho-thuisceanta, ach go n-airímíd
go tiugh breoitiúil, ag brúchtadh suas gan stad
mórdtimpeall orainn . . . bréantas corp nár cuireadh ins
an uaigh. 'S níl fear againn nach fearr leis bheith ag seanchaíocht
ná bheith á thórramh féin ar thinteán fuar'.

EIPEALÓG

IS dá bharr a fhilleas-sa, Baoithín, ar Oileán
Í, toisc gur duine mé mar chách ; 's gurb é
is mó is cumas dom chun lot mo mhuintire
a leigheas, troscadh is urnaí. Is maith is léir
nach aon Chúchulainn mé a riastródh, 's a dhéanfadh
teasargan ar shlua 's na cúngracha, ach neach
atá oiriúnach ar oileán, ag ithe aráin
seagail tirim is piardóg bhruite, gorm glan
ón bhfarraige. Téim, mar sin, go humhal i measc
a bhfuil dem mhacasamhail-se fós ag guíochtaint ar
iargúl . . . . Is táim anois ag gairm go sollúnta
chugham mo mháistir Colmcille. Agus gairmim
chugham chomh maith 'na pháirt sin Pádraig agus Bríd
is Ciarán Chluana is fós naoimh Éireann uile, chun
go ndéanfaidís a n-iomrascáil gan trócaire
lem Thiarna—d'fhonn an ní nach dócha, an ní geall leis
dochreite, a theacht i gcrích go deimhnitheach.

Ach cé agaibhse anois a chreideann é—
an chaithréim geall leis dochreidte?

Nó cé chreidfeadh go n-éireodh an faoileán fiain
dá creig ar muir? 's go bhfeicfí í 'na héan mór bán
ag eitleánaíocht, oíche, trí 's na spéartha soir,
ag múscailt gile ins gach áit 's ag leaghadh na scáile
i súile dorcha—go dtúirlingeodh le liathadh
an lae ar loch intíre istigh, 's go lonnódh ann
'na hiontas croí, le saol na saol, ag oilithrigh.

Agus cé chreidfeadh fós go n-éireodh choíche arís
mo ghaolta tá ag dreo ar bhruach na huagha? Nó go
n-athnuafadh anál na beatha acu mo mhuintir uile
amuigh fén tír, tá titithe go fann i seirgluí?

GUTH CHOLMCILLE

DO labhair mo mháistir Colmcille trí mo chodhladh
is dúirt sé liom: 'Ná bhí de shíor ag lorg Chúchulainn.
Is fíor gur éirigh sé amach os comhair a namhad,
gur nigh é féin 's gur fhulaing seachtó lá de throscadh.
Ach fós má deirid leat go bhfuair sé bás, ná creidse
iad. Ní marbh ach 'na chodladh atá. Is seo
é anois an t-Eatramh. Ná bíodh do thóir mar sin
ar bhearta móra, ar an bhfuinneamh go ndlitear do
go nochtfaí é ós comhair an tsaoil. Ach loirgse
an té atá beag, 's a chuireann de a ghníomh i gan fhios—
a ghníomh ceart fulanga, a ghníomh ceart gaisce. Is dein
do mhachnamh air (mar seo é duitse tráth an mhachnaimh).

Móraighse anois mar sin ar altóir chiúin id aigne
gach duine riamh nach eolach d'éinne brí a fhulanga
ná cúis a ghaisce:

Do chomharsa gearrchaile a lobhaigh le Críost go deoranta
thar sáil,
do chomharsa iascaire a chuaigh le Críost ag déanamh gaisce i
mbád,
's an té úd eile a dhreapaigh suas
ar shálaibh Chríost anáirde ar spuaic
ar teampaill; 's a mhúch ansan 's é teasargan ar fhaoileán bán.

Fulang na n-anaithnid ar son na n-anaithnid.
Gníomh na dtostach ar son na haonaithne

'Na dhiaidh san, breithnigh ná féadaimse brí fholaithe
na fulanga ná snaidhmeanna do-áirithe
an ghaisce anaithnid a scaoileadh dhuit.
Tuigim an méid seo, ámh. Tuigim é gan cháim:
gur sruth tintrí i spéir dhochuimsithe na Spride
gach gníomh a níonn an duine; gach gaisce (is gach géilleadh),
gach fulang (is gach meatacht); 's má fheictear féin an splanc—
gath-dhiamhrach i ngormlinn an tsamhraidh; geal-phléas-
caitheach
i nduibheagán an gheimhridh—ná feadair éinne
a thús ná a dheireadh, ná cathain a raghaidh sé i dtalamh.
Splancadh Críost ionnatsa fén gcrann giúise ar Oileán
Í, an uair do ghéill an Críost ionnamsa fén bpailm
i Iarúsailéim; splancadh Críost ionnamsa
fé na crainn fuinnseoige ag baile chun ná meathlódh
an Críost ionnatsa fós fé shnáthaidí
na píne ar chósta cailce carraigreach nach aithnid
dom . . . . Sa tslí, gur creidte ná bíonn deireadh ráite
riamh ag gníomhartha an duine ('s an gníomh, go háirithe,
a faghartar 'na ghiniúint le carthannacht, go luascfaidh
sé an cúrsa saolta is lú gan stad go deireadh
aimsire).

Meáigh go cruinn anois i gcochall t'aigne
an lúb is crua im mhachnamh: ná bíonn, ach oiread,
deireadh ráite riamh ag gníomhartha an chine: go ngníomhaíonn
an fhuil go buan 's go muinteartha ar son na fola . . . .
'S, a Bhaoithín liom, do dhein ár gcine an gaisce riamh,
is dhein an fulang. (Is deinid fós—an té i mbaill
iargúlacha a raghadh á lorg).

Seachainse, dá bhrí sin, plubairí compordacha
an éadóchais. Deinid réasúnaíocht; is toisc
ná tuigid an réasún, 'sé gnó a saoil ailgéabar
gruama talmhaí is cudromóidí beaga

cré. Ach nuair chaithimse mo shúil tharnais ar mhachairí
teolaí mo mhuintire, ní heol dom dath
den ghruaim ná duifean croí. Mar bíodh is gurb é seo
'nár ndúthaighne, an seirgluí, an t-eatramh,
ní fheicim tonn den aer ann ná fuil dearg-uallaithe
ag leictreachas na spride, ná fód a shiúlair
ná fuil dearg-loiscithe an áit gur chuaigh
an caor i dtalamh—'s más é toil Dé é, níl ann aon úr-bhrobh
féir nárbh fhéidir fós a líonadh suas le tine,
ná aon ghleann sléibhe nárbh fhéidir fós a chur ar crith
le haiteas buile. Is oícheanta fén gceo anso
nuair luíonn an ghaoth chun suaimhnis tamall, cloisim
chugham go glinn soiléir ag brúchtadh is ag tarrac,
cloig mo theampaill féin agus cloig teampall Éireann uile
ag claischeadal Te Deum fé thonnta géara mara.

Ansan do thost mo mháistir Colmcille; ach
do ráigh arís tar éis scathaimh: 'Tá's agam nuair bhreacfaidh
ort an lá gurbh amhras leat arís, id chroí,
an chaithréim seo mhaím tríd chodladh, nuair nárbh fheasach
duit aon treo dár ghabhais ach lagspridí, gan aidhm
ar fhulang ná ar ghaisce. Ach nuair chuais-se síos
i measc do ghaolta féin—ní rabhadar uile mar
a mheasais marbh—chonaicís daoine a fhulaingíonn,
i gan fhios dóibh féin, ar son na fola; daoine a fhulaingíonn
toisc gur géilleadh ag an bhficheall, 's go
gcodlaíonn ár Laoch go sámh anois 'dir cíocha fuara
miotail. Dein athmhachnamh ar an bhfulang san
(ós é seo dhuitse tráth an mhachnaimh). Dein athmhachnamh
ar an bhfulang san, ós é an fulang san
anois ár ngaisce.

NUA-INSINTÍ

LIADAN AGUS CUIRITHIR

BANFHILE de shliocht Chorca Dhuibhne ab ea Liadan. Chuaigh sí ar cuairt, tráth, go Connachta mar ar bhuail sí le Cuirthir. 'Cad fáth ná rachaimís le chéile', arsa Cuirithir, 'ba mhór le rá mac na beirte againn'. 'Ná deinimís amhlaidh', arsa Liadan, 'chun ná loitfí mo chuairt orm. Ach má thagann tú ag triall orm chun mo thí, rachadsa leat'.

Tháinig Cuirthir ag triall uirthi mar a gheall sé; ach idir dhá linn bhí móideanna mná rialta tógtha ag Liadan. Chuaigh sí leis, ámh, go mainistir Chluain Fearta, mar ar chuireadar iad féin fé stiúrú Choimín Fhada. Chaitheadar tréimhse ag déanamh a n-anama; ach ar deireadh, chun iad a thriail, thug an naomh cead dóibh bualadh um a chéile. Dheineadar an peaca, is díbríodh Cuirithir dá bharr go mainistir eile. Lean Liadan é ach dhiúltaigh seisean di. Bhí sé milleánach uirthi toisc a luaithe a ghaibh sí chuici féin an chaille i dtosach aimsire.

D'imigh Cuirithir leis trasna na farraige. Fuair Liadan bás ar an leac ar a mbíodh sé ag urnaí i gCill Leitreach ins na Déise.

'Chuaigh sé sin, ámh, ina oilithreach go Cill Leitreach i ndúiche Déise. Tháinig sí ar a thuairisc agus dúirt':

Is lag mo phléisiúr
Sa ghníomh gan rath do rinneas:
An té ba ghean liom chéasas.

Ba mhór an bhuile
Gan a réir a dhéanamh:
Roimh fearg Dé do chliseas.

Is dó dob fhánach
An ní 'na chliabh do mhianaigh:
Dul gan pian go Parthas.

Beag an bhrí sin,
An ní iompaigh uaim a dhúthracht;
'Na leith ba mhór mo mhíne.

Is mise Liadan
Is fíor gur charas Cuirithir;
Ní fíre aon ní adéarfaí.

Ró-ghearr a achar,
Mo chaidreamh ar Chuirithir;
Leis sin ba gheal mo thaithí.

An choill do chanadh
Is mé i dteannta Chuirithir,
'S ba cheol liom dord rua-mhara.

Ba dhóigh liom féinig
In earraid liom ná titfeadh
Pé beart ar bith dá ndéanfainn.

Ní cheilfead é:
Dob é sin searc mo chroí-se
Os daoine uile an tsaoil.

Bladhaire léanmhar
Do dhein mo chroí a réabadh:
Ní mhairfead ina éamais.

(*Ón tSeanGhaeilge*)

PÁTRÚN SPRIONLAITHE

Do chuala
Ná bronnann eacha ar dhuanta.
Do bheir an ní is dual dá shórt—
Bó.

(*Ón tSeanGhaeilge*)

OISÍN AG CAOINEADH A FHOILT

DO bhíos-sa uair
Fé fholt buí cas,
'S gan anois trím cheann
Ach fionnadh gearr glas.

Is fíor gur ghile liom
Folt stothallach ciar
Do theacht trím cheann
Ná an fionnadh beag liath.

Suirí ní oireann dom
Óir ní mheallaim mná,
Ó liathaigh m'fholt
Tá deireadh lem lá.

(*Ón Meán Ghaeilge*)

ÓGÁNACH DATHÚIL (I LÁR AN AONAIGH)

AN duibhe seo id mhalaí, an gríos id ghruanna,
  An ghoirme id shúile, an réidhe id fholt,
An ghaoth ag iomramh do chúil chraobhaigh,
  Aghaidh fhionnabhan an aonaigh ort.

Mná céile, is iad ag ceilt a bhféachaint,
  Ar t-aghaidh amach ag fí a bhfolt—
Ach féach tá bearna ag méara mná acu
  I ndlaoi dá gruaig 's í ag amharc ort!

(*Ón MeánGhaeilge*)

CÉADLÍNTE NA nDÁNTA